De vliegende cavia

Rian Visser
met tekeningen van
Doesjka Bramlage

Zwijsen

LEESNIVEAU

		ME	ME	ME	ME	ME		
AVI	S	3	4	5	6	7	P	
CLIB	S	3	4	5	6	7	8	P

dieren

Toegekend door Cito i.s.m. KPC Groep

De Nederlandse Kinderjury 2013

Het gemiddelde niveau van dit boek is E6.
Het bevat ook fragmenten op AVI M7, E7 en Plus.

1e druk 2012
ISBN 978 90 487 1020 1
NUR 282

Tekst: Rian Visser
Illustraties: Doesjka Bramlage

Vormgeving: Rob Galema

Voor België:
Uitgeverij Zwijsen.be, Antwerpen
D/2012/1919/59

Inhoud

1. Kippensoep

Opa's cavia is verdwenen.
Myrthe heeft overal gekeken. Onder de bank, achter de televisie, in de keukenkastjes.
'Snuf, Snuf, Snuffie,' roept ze.
Snuffie loopt wel vaker los, maar dan vind je overal zwarte keuteltjes. Nu liggen nergens uitwerpselen en dat is vreemd.
Myrthe kijkt in opa's slaapkamer. Ze schuift op haar buik onder zijn bed.
'Snuf? Snuffie!'
Er komt niemand naar haar toe.
Dat is niet zo raar. Cavia's zijn geen gehoorzame huisdieren. Honden kun je een stok laten brengen, maar cavia's gaan liever hun eigen gang. Net als sommige poezen en konijnen.

Vroeger had Myrthes grootvader veel huisdieren. Toen woonde hij in een vrijstaand huis en leefde Myrthes grootmoeder nog. Ze hadden twee honden en een paar Vlaamse reuzen, dat zijn heel grote konijnen. Toen oma stierf, verhuisde opa naar een appartement in een flatgebouw en moesten de dieren weg.
Opa kookt zelf en doet zijn eigen was. Myrthes moeder komt soms schoonmaken.
Vooral in het begin voelde opa zich verschrikkelijk

alleen. Hij was dikwijls somber en keek veel naar de televisie. Opa wilde graag weer een hond om mee te wandelen, maar hij loopt niet meer zo snel en Myrthes moeder is bang dat de hond opa omver zal trekken. Opa mocht wel een cavia.
Sinds Myrthes grootvader een cavia als huisdier heeft, is hij veel vrolijker.
Dikwijls doet opa alsof Snuffie een mens is. Hij babbelt en knuffelt met hem. De cavia ziet eruit als een worstenbroodje. Het is maar goed dat hij oogjes en grappige, gekreukelde oortjes heeft, anders wist je niet wat de voor- en wat de achterkant was.
Als Myrthes grootvader gaat wandelen, neemt hij Snuffie vaak mee. Niet aan een riem natuurlijk: hij stopt de cavia gewoon in een boodschappentas. In het park gaat opa dan op een bankje zitten en haalt hij Snuffie eruit.
Opa houdt Snuffie meestal op schoot of hij zet hem naast zich op het bankje. De cavia mag niet door het gras rennen, want stel je voor dat Snuffie wegloopt. Of dat een hond Snuffie te pakken krijgt …

Opa dekt de keukentafel. Het is woensdagmiddag en Myrthe komt net uit school. Meestal eet ze dan bij haar grootvader een boterham.
Opa's haren staan alle kanten uit alsof hij vergeten is ze te kammen. Myrthe heeft overal naar Snuffie gezocht. Opa weet ook niet waar Snuffie is gebleven.
'Twee dagen geleden was Snuffie er nog,' zegt Myrthe. 'Wat heeft u gisteren gedaan?'

'Ik heb met Snuffie gewandeld,' antwoordt opa. Hij zet de soeppan op tafel.
'En bent u verder nog ergens geweest?'
'Ik ben bij Johannes geweest, denk ik.' Opa doet zijn bril af en wrijft in zijn ogen. 'Maar misschien was dat vorige week al.'
Johannes is een jeugdvriend van opa, die een rommelwinkel heeft, een paar straten verderop.
Opa tilt het deksel van de soeppan. Er komt stoom uit.
'Wil je een kopje kippensoep, meisje?'
Myrthe kijkt in de pan en ziet wat botjes drijven.
'Komt het uit een pakje?'
'Nee, ik heb het zelf gemaakt,' zegt opa.
Myrthe schrikt. Laatst hield een klasgenootje, Isabel, een spreekbeurt over cavia's. Zij vertelde over het Zuid-Amerikaanse land Peru. Peruanen vinden het heel normaal om cavia's te eten. Isabel liet op het digibord een afbeelding zien van een bord met een gebakken cavia erop. Het leek net een gebraden kippenbout. De meester vond dat er nauwelijks verschil is tussen een kip of een cavia opeten. Er zijn ook landen waar mensen poezen en honden eten. Misschien heeft de meester gelijk: een dier is een dier. Maar alle klasgenoten vonden het zielig.
'U heeft Snuffie toch niet in de soeppan gedaan?' vraagt Myrthe bezorgd.
'Wat zeg je nou?' roept opa geschrokken. 'Doe niet zo raar! Ik zou Snuffie toch nooit kwaad doen?'
'Dat weet ik wel, maar u bent soms een beetje verward,' antwoordt Myrthe.

Opa schudt zijn hoofd. 'Ik weet nog precies dat ik gisteren in de supermarkt een soepkippetje kocht. Kom maar hier met je soepkop.'
Opa schept er twee grote lepels kippensoep in.
De kippensoep ruikt lekker en hij smaakt ook uitstekend.
Myrthe legt een boterham op haar bord.
'Wil je ham?' vraagt opa. Hij staat op en opent de koelkast. 'Ik heb gisteren lekkere schouderham gekocht.'
Opa haalt een komkommer uit de koelkast. Als opa eet, krijgt Snuffie daar altijd een plakje van. 'Waar heb ik die schouderham nou gelaten?' vraagt opa nadenkend.
Myrthe zoekt mee. In de koelkast ligt hij niet, maar ze controleert meteen of er nog melkpakken staan die over de datum zijn. Of restjes beschimmeld eten. Opa's ogen gaan achteruit en hij ziet de kleine lettertjes op de verpakkingen niet zo goed.
Daarna kijkt Myrthe in het vriesvak. Dat hoeft normaal nooit, want de spullen die daarin liggen, kunnen niet bederven. Maar ze is zomaar ineens angstig dat opa iets geks gedaan heeft met Snuffie.
Myrthe haal een pakje vleeswaren uit de vriezer.
'Is dat de schouderham?' vraagt opa.
'Ja,' antwoordt Myrthe, 'maar hij is bevroren.'
Opa kijkt verdrietig. Hij vindt het altijd heel vervelend als dingen niet op hun plek liggen.
'Ik neem wel kaas op mijn boterham,' zegt Myrthe.

2. Het circus

'Hoe gaat het op school?' vraagt opa. 'Heb je al bijna zomervakantie?'
Myrthe knikt. 'Over tien dagen is het de laatste schooldag en dan komt er een circustent naast de school. Elke klas mag een paar circusoptredens bedenken.'
'Wat leuk,' zegt opa, maar hij klinkt niet vrolijk.
'Het is een wedstrijd,' vertelt Myrthe.
'Hoezo?' vraagt opa.
'Een paar circusmensen komen ons beoordelen. Zij kiezen het beste optreden uit. Als je wint, mag je in de zomervakantie naar een circuskamp. Ik ga samen met Irene, Isabel en Annemiek optreden met onze eenwielers.'
Irene is het buurmeisje van Myrthe. Ze zijn al vriendinnen sinds ze baby waren. Isabel en Annemiek zitten bij hen in de klas. Vorig jaar waren eenwielers ineens heel populair. Een heleboel kinderen probeerden erop te rijden, maar het is best moeilijk, dus veel kinderen stopten ermee. Maar Myrthe, Irene, Isabel en Annemiek oefenden door en komen elke dag op hun eenwieler naar school.
Voor het optreden willen ze iets speciaals bedenken. Ze kunnen bijvoorbeeld gekleurde ballen overgooien. Of ze doen gekke verkleedkleren aan.
'Een paar jongens doen goocheltrucs,' vertelt

Myrthe. 'En sommige turnmeisjes gaan kunstjes doen aan de trapeze. De meester heeft alles opgeschreven.'
'Hmm,' bromt opa.
'U mag ook komen kijken,' zegt Myrthe. 'Iedereen is welkom: ouders, grootouders en buren. De circustent is groot genoeg.'
'Leuk,' zegt opa afwezig. 'Wil je nog wat kippensoep?'
Myrthe schudt haar hoofd. Opa doet echt vreemd. Meestal luistert hij heel aandachtig als ze iets vertelt. Waarschijnlijk denkt hij telkens aan Snuffie.

Opa ruimt de keukentafel af. Hij heeft bijna niets gezegd. Zijn schouders hangen omlaag en zijn rug lijkt krommer dan anders.
'Zullen we Snuffie gaan zoeken in het stadspark?' vraagt Myrthe.
'Denk je dat hij daar is?' vraagt opa.
Myrthe haalt haar schouders op. 'Als u Snuffie meegenomen heeft naar het park, is hij daar misschien ontsnapt.'
'We kunnen het proberen,' zegt opa.
Myrthe pakt een plastic boterhamzakje.
'Ik neem het stukje komkommer mee,' zegt ze.
'Misschien ruikt Snuffie het.'

Het is warm in het stadspark. Op het grasveld zit een mevrouw met een leesboek. Bij de speelplaats spelen kinderen zonder jas. Op het voetbalveldje ernaast trappen een paar jongens tegen een voetbal.

Myrthe en opa wandelen naar het bankje aan de vijverrand. Opa loopt altijd met een wandelstok, want soms is hij duizelig.
Achter het bankje ligt een heuvel. In de winter, als er sneeuw ligt, kun je er heerlijk vanaf sleeën. Je moet wel voorzichtig zijn dat je niet te ver doorglijdt, want dan kom je in de vijver terecht.
Als opa op het bankje plaatsgenomen heeft, zoekt zijn hand automatisch naast zich. Hij is natuurlijk gewend om Snuffie te aaien, denkt Myrthe vol medelijden.

Boven op de heuvel staat een jongen met een zelfgemaakt lichtblauw vliegtuigje in zijn handen. De jongen is niet zo groot en hij heeft donkerbruin haar met een kuif.
Myrthe herkent hem van school. Hij zit een groep hoger dan zij. Een paar maanden geleden is hij naar deze stad verhuisd en hij heeft nog niet zo veel vrienden.
'Ik ga Snuffie zoeken,' zegt Myrthe tegen opa.
Gebukt loopt ze over het grasveld. Ze kijkt bij een stel boomwortels of er soms een holletje is waarin Snuffie zich kan verschuilen.
'Snuf! Snuffie,' roept Myrthe. Ze dempt haar stem, want ze schaamt zich.
Er loopt een man langs met een hond. 'Zoek je iets?'
Myrthe knikt. 'Ik ben een zilveren oorbel verloren.'
Ze durft niet te zeggen dat ze eigenlijk een cavia zoekt. Wie neemt er nu een cavia mee naar het park?

3. Het vliegtuigje

Op sommige plekken woekert het onkruid. Daarin zou Snuffie zich gemakkelijk kunnen verschuilen. Myrthe loopt terug naar het bankje. Opa staart over de vijver en zijn rechterhand dwaalt nog steeds nerveus over de zitting van de bank.
'Mag ik uw wandelstok even lenen?'
'Natuurlijk, meisje.'
Steeds vaker noemt opa haar meisje. Hij weet haar naam toch nog wel?
Met de wandelstok duwt Myrthe het hoge gras opzij.
Plotseling schiet er een lichtblauw voorwerp vlak langs haar voorhoofd. Het ploft in het gras naast haar neer. Myrthe schrikt. Het is het vliegtuigje van de jongen.
De jongen rent de heuvel af. Zijn bruine kuif springt op en neer. Twee donkerrode vlekken kleuren zijn wangen.
Bij het vliegtuigje staat hij stil.
'Hoi!' Hijgend raapt hij het toestel op.
'Ik schrok me een ongeluk,' zegt Myrthe.
'Hij is gelukkig nog heel,' zegt de jongen. 'Als hij jou geraakt had, waren de vleugels misschien afgebroken.'
Myrthe houdt verbijsterd haar mond. Ze had wel een hersenschudding kunnen krijgen en hij maakt

zich zorgen over zijn vliegtuigje!
De jongen loopt naar het bankje. 'Dag opa.'
Myrthes grootvader draait zich om. 'Dag jongen,' zegt hij vrolijk.
'Heeft u het gezien? Mijn zelfgemaakte vliegtuigje vloog wel vijftig meter! Wilt u het ook een keer proberen?'
Opa knikt. 'Graag!'
Hij voelt naast zich. 'Waar is mijn wandelstok?'
'Alstublieft.' Myrthe geeft opa zijn wandelstok terug. Langzaam beklimt opa de heuvel.
'Wat gaat u doen?' vraagt Myrthe angstig.
'Met het vliegtuigje spelen,' zegt opa. 'Kom je mee?'
'En Snuffie dan?' vraagt Myrthe.
Haar grootvader aarzelt. Hij kijkt onzeker naar het bankje, maar daar is Snuffie natuurlijk niet. 'Wil jij even op Snuffie letten?' vraagt hij.
Myrthe is boos, maar ook bezorgd. Opa is blijkbaar vergeten dat de cavia verdwenen is. Straks zal hij het zich hopelijk weer herinneren, stelt Myrthe zichzelf gerust.

Boven op de heuvel mag opa het vliegtuigje vasthouden. Hij strekt zijn arm en gooit met een brede armzwaai.
Het vliegtuigje stort twee meter verder in het gras.
De jongen raapt het op en laat opa het nog een keer proberen. Dit keer vliegt het vliegtuigje over een iets langere afstand.
Myrthe bekijkt het een tijdje, maar het verveelt haar snel. 'Opa!'

......

Haar grootvader kijkt onzeker haar kant uit. Myrthe zwaait. 'Zullen we teruggaan?' schreeuwt ze.
Opa lijkt niet te weten wat hij moet doen.
Myrthe klimt de heuvel op.
'Zullen we teruggaan?' vraagt ze opnieuw.
Opa stemt toe en zegt de jongen goedendag.
Voorzichtig lopen Myrthe en opa de heuvel af.
Onderaan volgen ze het fietspad dat dwars door het stadspark slingert.
'Waar kent u die jongen van?' vraagt Myrthe.
'Net zoals ik jou ken,' antwoordt opa.
Verbaasd herhaalt Myrthe het zinnetje in haar hoofd. Wat bedoelt haar grootvader? Myrthe is zijn kleindochter en die jongen is een onbekende jongen. Dat weet opa toch wel?
'Hoe heet hij?' vraagt Myrthe.
'O, gewoon,' antwoordt opa aarzelend.
'Hé, Myrthe!'
In de verte komt Irene aan fietsen op haar eenwieler.
Als ze bij hen is, springt ze eraf.
'Dag opa,' zegt ze.
Irene kent Myrthes opa al vanaf haar geboorte. Ze zegt al jaren opa tegen hem en dat vindt iedereen heel normaal.
'Dag meisje,' zegt opa.
Het valt Myrthe op dat opa Irene ook niet bij haar naam noemt.
'Kom je straks naar het schoolplein met je eenwieler?' vraagt Irene. 'Isabel en Annemiek komen ook.

Dan kunnen we nog even oefenen voor onze circus-act.'
'Goed,' belooft Myrthe.

Als ze terug zijn in het appartement gaat opa naar de keuken om theewater op te zetten. Myrthe haalt het stukje komkommer uit het boterhamzakje en legt het op de keukentafel.
Opa en Myrthe drinken hun thee.
Opa pakt met trillende vingers het plakje komkommer. 'Zal ik het in de caviakooi leggen?' vraagt hij.
'Maar Snuffie is toch verdwenen?' zegt Myrthe.
Opa legt zwijgend het plakje komkommer op het schoteltje terug.
'Ik moet zo gaan,' zegt Myrthe. 'Mijn vriendinnen en ik gaan nog oefenen voor ons circusnummer.'
Opa staat op en pakt een trommeltje uit de servieskast. 'Wil je een chocoladetoffee?' vraagt hij.
Opa koopt altijd speciaal voor Myrthe chocoladetoffees. Zelf eet hij ze niet, want ze plakken aan zijn kunstgebit.
'Neem er ook maar een paar mee voor je vriendinnen,' zegt opa.
Myrthe stopt een handvol chocoladetoffees in haar broekzak. Opa is altijd zo aardig!
'Morgen kom ik weer,' belooft Myrthe. 'Denkt u ondertussen goed na? Misschien herinnert u zich dan wat er met Snuffie is gebeurd. U kunt mij natuurlijk ook bellen als u zich iets bijzonders herinnert.'
'Dat zal ik doen,' antwoordt opa. 'Dag meisje.'

4. Op de eenwielers

Myrthe, Irene, Isabel en Annemiek rijden rondjes op hun eenwielers. Een gedeelte van het schoolplein is ingericht als basketbalveld met glad asfalt en daarop kun je fijn oefenen.
'Hoe was het bij je grootvader?' vraagt Irene.
'Niet zo goed,' antwoordt Myrthe. 'Snuffie is verdwenen.'
'Is Snuffie weg?' Irene valt bijna van haar eenwieler. 'Waar is hij dan?'
'Dat weet ik dus niet.'
'Hij loopt toch vaak los?' vraagt Irene. 'Is hij soms in een kast gekropen?'
'Ik heb overal gezocht,' antwoordt Myrthe. 'Meestal zie je wel zwarte keuteltjes als Snuffie losloopt, maar ik zag niks.'
'Dat is inderdaad vreemd.'
Myrthe probeert op haar eenwieler op één plek stil te staan. Dat lukt soms door telkens hele kleine stukjes naar voren en naar achteren te rijden. Maar het is moeilijk en plotseling valt ze. Myrthe klimt weer op haar zadel.
'Sinds wanneer is Snuffie verdwenen?' vraagt Annemiek.
'Maandagmiddag was ik bij opa op bezoek en toen was hij er nog,' antwoordt Myrthe. 'Dus ik denk dat hij gisteren verdwenen is.'

‘Is je grootvader ergens naartoe geweest?’ vraagt Irene. ‘Hij neemt zijn cavia toch vaak mee naar buiten?’
‘Hij herinnerde zich dat hij in het stadspark had gewandeld en daarna boodschappen had gedaan. Maar zijn geheugen gaat erg achteruit.’
‘Wat vervelend!’
Irene steekt al fietsend haar hand uit. Myrthe pakt hem en zo fietsen ze rondjes om elkaar heen.
‘Kun je geen nieuwe cavia kopen?’ vraagt Isabel.
‘Dat is een goed idee,’ antwoordt Annemiek. ‘Je koopt een cavia die op hem lijkt en dan zeg je dat het Snuffie is.’
Myrthe denkt na. Snuffie is lichtbruin en heeft een paar witte vlekjes op zijn lijf. Hij heeft schattige zwarte kraaloogjes en gekreukelde oortjes. Myrthe heeft in de speelgoedwinkel ooit een exact gelijkende cavia gezien. Die knuffelcavia heeft ze gekocht en die ligt nu op haar kamer.
‘Opa zal het vast merken,’ zegt Myrthe. ‘En stel dat Snuffie terugkomt? Dan zijn er ineens twee cavia’s.’
‘Zou je grootvader de cavia in het park kwijtgeraakt zijn?’ vraagt Irene.
‘Misschien.’ Myrthe laat Irenes hand los en fietst een stukje alleen.
‘Zullen we gaan oefenen voor ons circusnummer?’ vraagt Annemiek. ‘Heeft iemand een voorstel?’
‘We kunnen allemaal een blauw gympak aantrekken,’ zegt Isabel. ‘Dan zien we er hetzelfde uit.’
‘We kunnen fietsend een bal overgooien,’ zegt Irene.

'We moeten wel iets spannends en origineels bedenken,' zegt Annemiek. 'Anders winnen we nooit.'
Ze praten er een poosje over.
Myrthe duwt haar zadel naar voren en probeert er met haar buik op te liggen. Alle meisjes kunnen dat. Myrthe ook, maar nu valt ze.
'Wat denk jij, Myrthe?' vraagt Annemiek.
'Ik kan niks bedenken,' antwoordt Myrthe. 'Ik kan niet eens goed fietsen op een eenwieler.' Tranen staan in haar ogen.
Irene springt van haar eenwieler. 'Kom,' zegt ze tegen haar vriendin. 'Wij gaan even op het klimrek zitten,' zegt ze. 'Oefenen jullie maar verder.'
'Goed,' zegt Myrthe opgelucht.
Ze klimmen omhoog.
'Mijn moeder was een keer in de supermarkt en toen was jouw grootvader er ook,' vertelt Irene. 'Het schijnt dat Snuffie toen ook ontsnapt is.'
Myrthe trekt haar wenkbrauwen op. 'Dat heeft opa nooit verteld. En jij ook niet.'
'Ik was het vergeten,' bekent Irene. 'Het was vorig jaar in de zomervakantie. Opa had Snuffie meegenomen in zijn boodschappentas. De tas lag in het winkelwagentje en Snuffie kroop eruit. Mijn moeder zag het en wilde je opa waarschuwen. Maar een andere vrouw in de winkel zag de cavia ook en begon te gillen. Ze dacht dat het een rat was.'
'Wat gebeurde er toen?' vraagt Myrthe.
Irene haalt haar schouders op. 'Ik geloof dat je grootvader Snuffie weer in zijn boodschappentas heeft gedaan.'

Myrthe denkt na. Wie weet wat er nog meer allemaal mis is gegaan toen Myrthe en haar moeder vorig jaar op vakantie waren.
'Misschien heeft opa Snuffie gisteren in de supermarkt laten ontsnappen?' zegt Irene.
'We kunnen het gaan vragen,' zegt Myrthe.

5. Kip en kroketten

Niet ver van opa's appartement is een overdekt winkelcentrum. Opa gaat altijd naar dezelfde supermarkt, want dan weet hij waar alles staat. Myrthe en Irene zetten hun eenwielers vast met een kettingslot.
Het is ijskoud in de supermarkt.
Dwalend door de gangpaden kijken ze of Snuffie ergens rondkruipt, maar ze ziet hem nergens.
Het is Myrthe nooit eerder opgevallen, maar nu merkt ze dat er meerdere deuren zijn voor het winkelpersoneel.
'Misschien is Snuffie in het magazijn,' zegt ze. 'Of in het kantoor van de bedrijfsleider.'
'Laten we het gaan vragen,' zegt Irene.
Ze lopen naar een medewerkster in een blauwe schort die bezig is de schappen bij te vullen.
Op haar borst prijkt een naambordje met een vrij onleesbare naam en daaronder de gedrukte tekst:
Kan ik u helpen?
'Wij zoeken een cavia,' zegt Irene.
Het meisje trekt haar wenkbrauwen op. 'Misschien in de diepvries, naast de kip en de kroketten?'
'We willen geen cavia eten,' zegt Myrthe. 'We zoeken een levende cavia.'
'Dit is geen dierenwinkel,' antwoordt de winkelmedewerkster.

Irene zucht. 'Dat weten wij ook wel!'
Het meisje haalt haar schouders op en gaat verder met vakken vullen. Ze haalt koffiepakken uit een doos en zet ze in het winkelschap.
'Het gaat om een cavia die ontsnapt is,' probeert Myrthe nog een keer.
Het meisje werkt gewoon door terwijl ze zegt: 'Er mogen geen dieren in de supermarkt komen.'
'Misschien is de cavia per ongeluk naar binnen gelopen?' zegt Irene.
'Sorry, ik kan u echt niet helpen.'
'Kom.' Myrthe trekt Irene aan haar mouw. 'We zoeken wel even verder.'
In het volgende gangpad zakt Irene door haar knieën en gluurt ze onder de rekken.
'Snuf! Snuffie,' roept ze.
'Doe nou niet,' piept Myrthe.
'Wat is er?' bromt Irene.
'De bedrijfsleider staat naar ons te kijken!'
'Laat hem lekker kijken!' zegt Irene. 'Het is toch niet verboden om een cavia te zoeken?'
Een oudere man duwt zijn winkelwagentje het gangpad in en blijft verbaasd staan kijken.
De bedrijfsleider komt naar hen toe. 'Kan ik jullie ergens mee helpen?'
'Nee, dank u,' antwoordt Irene.
Myrthe kan het niet helpen, maar ineens moet ze ontzettend lachen. Giechelend lopen de meisjes de supermarkt uit.
Eenmaal buiten worden ze weer ernstig. 'Daar was Snuffie dus niet,' besluit Irene.

Tegenover de supermarkt is een snackbar. Ze kopen er softijs.
'Laten we even bij Johannes gaan kijken,' zegt Myrthe.
Op hun eenwielers rijden ze de straat in waar Johannes zijn rommelwinkel runt.
Het is mooi weer en de winkeldeur staat open. Op de stoep staat een antieke ligbank, met ernaast een oude melkbus, een kruiwagentje, een tuinkabouter, een gietijzeren naaimachine en wat plantenbakken.
Johannes komt net naar buiten met een bloempot.
'Dag Myrthe en Irene!' zegt hij zwaaiend. 'Hebben jullie geen school vandaag?'
'Het is woensdagmiddag,' antwoordt Myrthe.
'O ja. Voor mij lijken alle dagen hetzelfde. Willen jullie een kopje thee?'
'Graag,' zeggen de meisjes. Ze gaan op het bankje zitten en Johannes verdwijnt in de winkel.

'Alsjeblieft.' Johannes geeft hen ieder een mok.
'Hoe is het met je opa, Myrthe?'
Myrthe vertelt over Snuffie die verdwenen is.
'Jouw grootvader is een malle,' zegt Johannes. 'Hij sjouwt dat beest overal mee naartoe, alsof het een knuffeldier is. Maar ik snap het wel. Het komt door de eenzaamheid. Je wilt toch iemand hebben om tegen te praten.'
Johannes stopt even en slurpt van zijn thee. 'Ik heb natuurlijk mijn winkel,' gaat hij verder. 'Maar op sommige dagen komt er geen kip. En 's avonds ben ik ook alleen.'

Johannes knikt naar het huisje naast de winkel. 'Mijn buurman is verhuisd en nu staat het pand hiernaast leeg. Ik hoop dat er snel weer iemand komt wonen, want zo is het akelig stil.'
'Heeft u een idee waar Snuffie kan zijn?' vraagt Irene.
'O, wat zit ik toch weer over mezelf te praten,' roept Johannes. 'Wat vervelend voor je grootvader dat Snuffie verdwenen is! Nee, ik heb geen idee.'
'Is opa hier gisteren nog geweest?' vraagt Myrthe.
Johannes krabt nadenkend aan zijn kin. 'Vorige week donderdag kwam hij langs voor een babbeltje. Hij vertelde dat hij met een zelfgemaakt vliegtuigje had gespeeld. Ik begreep het niet helemaal.'
'Hij heeft in het stadspark een jongen leren kennen die zelf vliegtuigjes bouwt,' vertelt Myrthe.
'Nu snap ik het,' zegt Johannes. 'Ik dacht dat je grootvader over vroeger vertelde. Hij maakte vroeger zelf prachtige modellen van oude vliegtuigen. Dat was zijn grote hobby en hij had een heel mooie verzameling.'
'Dat wist ik niet,' zegt Myrthe. 'Waar zijn die vliegtuigmodellen gebleven?'
'Hij heeft ze weggedaan. Toen hij in zijn appartement ging wonen, kon hij ze niet meenemen. Ik heb er een paar gekregen. Ze staan hier binnen in een vitrinekast. Kom maar even kijken.'
De meisjes volgen Johannes de rommelwinkel in. Het is er donker, maar na een tijdje went het. In een glazen kast staat een rij vliegtuigmodellen. Johannes pakt een bordeauxrood model van een

heel klein eenpersoonsvliegtuigje met drie grote wielen eronder. Het lijken wel fietswielen.
'Kon je daar echt mee vliegen?' vraagt Myrthe verbaasd.
'Niet met deze,' antwoordt Johannes, 'want dit is een schaalmodel. Maar het echte vliegtuig kon wel vliegen. Er gebeurden wel veel ongelukken in die tijd.'
Ze praten nog een tijdje.
'We moeten gaan,' zegt Myrthe. Buiten stapt Irene met één voet op haar eenwieler en haar andere zet ze op het frame. Zo rijdt ze weg.
'Knap!' zegt Johannes. 'Jullie zijn echt handig met die dingen.'
'We gaan meedoen met een circus,' zegt Myrthe.
'Komt u ook kijken? Iedereen mag komen.'
'Natuurlijk!' zegt Johannes. 'Doe je grootvader de groeten als je hem ziet, en vraag of hij weer eens op bezoek komt.'
Dat belooft Myrthe.

6. Vleercavia

Bastiaan is in het stadspark. Opa Thomas is net naar zijn appartement gegaan. Hij was vandaag niet alleen, maar met een meisje, waarschijnlijk zijn kleindochter.
Het was jammer dat opa snel weer weg moest.
Bastiaan draait aan de propeller van zijn lichtblauwe vliegtuigje. Hij draait het elastiek zo strak als mogelijk is, want dan gaat de propeller straks lekker snel.
Thuis knutselt Bastiaan aan een vliegtuigje met een motor en vleugels die echt kunnen klapperen, net als een vogel. Het is al bijna klaar.
Bastiaan draait nog een klein stukje.
Pats! Het elastiek knapt.
Even kijkt Bastiaan beteuterd naar het kapotte vliegtuigje, maar dan ziet hij dat het gemakkelijk te maken is. Vliegtuigjes repareren is bijna net zo leuk als ermee vliegen. Later wil Bastiaan vliegtuigbouwer, uitvinder of bioloog worden. Hij vindt het ook leuk om alles over verschillende diersoorten te begrijpen. Waarom kunnen sommige dieren vliegen en andere niet? En hoe halen vissen onder water adem?

Bastiaan spreidt zijn armen en rent de heuvel af. De wind wappert door zijn haren. Bastiaan doet alsof hij zelf een vliegtuig is. Nog even, dan stijgt hij op en vliegt hij over het grasveld. Steeds hoger vliegt hij. Het stadspark ligt diep onder hem. Bastiaan vliegt over de stad, over zijn huis en het schoolgebouw. Met gespreide armen steekt hij de straat over en verdwijnt hij in een steegje.

In de tuin staat een houten schuurtje dat Bastiaan van zijn moeder mag gebruiken als werkplaats. Er staat een werkbank in en een gereedschapskist die Bastiaan van zijn opa heeft gekregen. Zijn opa was ook uitvinder en toen hij stierf, heeft Bastiaan zijn gereedschap geërfd.
Bastiaan legt het lichtblauwe vliegtuigje op de werkbank en zoekt in een doos met schroeven, spijkers en rommeltjes naar een nieuw elastiek. Hij vindt een lichtbruin postbode-elastiek en repareert zijn vliegtuigje.
Daarna pakt hij een rol donkerrood vliegerdoek. Dat is voor de vleugels van zijn vliegende cavia. Bastiaan kwam op dat idee doordat een klasgenoot een spreekbeurt hield over vleermuizen. 'De vleermuis is het enige zoogdier dat kan vliegen,' vertelde ze. 'Vleermuizen leggen geen eieren, maar baren hun kinderen. De moeders zogen hun baby's, net als andere zoogdieren. Mensen zijn ook zoogdieren, maar zij kunnen niet vliegen. Tenminste niet zonder vliegtuig.'
Bastiaan had nog lang over deze spreekbeurt nagedacht. Hoe zou het komen dat sommige muizen hebben leren vliegen? Misschien hadden ze

er genoeg van dat ze werden opgegeten door katten? Misschien dachten ze: als we kunnen vliegen, kunnen we niet zo makkelijk gepakt worden. Dus misschien wapperden ze de hele dag met hun voorpootjes en na een tijdje kregen ze vanzelf vleugels. Als vleermuizen kunnen vliegen, kunnen andere knaagdieren het dan ook leren? Bastiaan dacht aan een vleerkonijn, vleerhamster, vleerratje en vleercavia.
Een paar dagen geleden kwam hij in het stadspark opa Thomas tegen. De lieve, oude man zat op een bankje met een cavia op schoot. Dat bracht Bastiaan op een idee. Hij wilde vleugels maken waarmee de cavia zou kunnen vliegen. Bastiaan vertelde opa Thomas zijn plannen en opa vond het reuze spannend.
Het gaat zeker lukken om de cavia te laten vliegen. Bastiaan heeft ondertussen twee vleugels gemaakt van dunne houtjes met in het midden een tuigje waarin de cavia hangt. Bovenop zit een kleine motor die de vleugels laat bewegen.
Bastiaan moet de stof nog op de vleugels naaien. Dat kan hij het beste op zijn kamer doen, want daar heeft hij meer licht.

Bastiaan sluit de schuurdeur af. In de tuin staat onder een stuk zeil een vliegtuig dat zo groot is dat het niet in de schuur past.
In dat vliegtuig wil Bastiaan zelf gaan vliegen. Hij heeft het nagemaakt van een foto uit een boek over de eerste vliegtuigen die ooit gemaakt zijn. Het is

een eenpersoonsvliegtuig en er horen drie grote wielen onder.
Bastiaan kan erin zitten. Maar om echt te vliegen, heeft hij een motor en een propeller nodig. Omdat hij nog niet zo goed weet hoe hij die moet maken, oefent hij eerst met kleine vliegtuigjes.
In de tuin plukt hij wat paardenbloemblad. Zouden cavia's dat lusten?

De muren van Bastiaans slaapkamer hangen vol met afbeeldingen van vliegtuigjes. Er is ook een tekening van een vleermuis en een poster van Superman. Bastiaans moeder noemt zijn kamer een rommelkamer, maar ze gooit gelukkig nooit iets weg.
Eén keer in de maand moet Bastiaan zijn kamer opruimen en dan komt ze inspecteren. Daarna mag hij er weer een tijdlang een bende van maken.
Bastiaan legt het paardenbloemblad in de doos van de cavia. Daarna pakt hij de naaimand van zijn moeder en begint hij het donkerrode doek op de vleugels te naaien.
Ondertussen denkt hij aan zijn circusact. Misschien komt hij na zijn optreden wel in de krant: *Nog nooit vertoond: een vliegende cavia!*
Bastiaan zou nog veel meer dieren willen laten vliegen. Het lijkt hem grappig als er vliegende koeien in het weiland staan. Bastiaan grinnikt. In zijn hoofd buitelen de ideeën over elkaar. Vliegende paarden zouden ook fantastisch zijn! En vliegende honden en poezen. Dan kunnen die huisdieren elkaar echt in de haren vliegen!

7. De lijst

Irene en Myrthe fietsen elke ochtend samen naar school. De ene dag is Myrthe laat, de andere dag Irene. En als ze dan eindelijk op de fiets zitten, hebben ze elkaar zo veel te vertellen dat ze vergeten door te rijden.
Ze fietsen het schoolplein op.
'Myrthe!'
Opgewonden rent Isabel op hen af. Bijna iedereen is al naar binnen.
Myrthe en Irene springen van hun eenwielers.
'We zijn laat,' zegt Myrthe. 'Ik weet het.'
'Ik heb iets ontdekt,' zegt Isabel.
'Wat dan?' vraagt Irene.
'Kom mee!' Opgewonden loopt Isabel de school in. In de hal is een speciale hoek waar kinderen hun eenwielers, skateboards, waveboards, skeelers, stelten en springtouwen kunnen stallen. De meisjes dumpen hun eenwielers en lopen met Isabel mee.
'De meester van groep 8 heeft in de gang een lijst opgehangen met alle circusnummers. Ook de andere klassen staan erop!' fluistert Isabel.
'Zijn er nog meer groepen die met een eenwieler gaan optreden?' vraagt Irene bezorgd.
'Nee, dat bedoel ik niet. Kijk, hier hangt die lijst.'
De conciërge loopt langs. 'Doen jullie zachtjes?' vraagt hij.

Ze knikken. De meeste lokaaldeuren zijn al dicht en zodra de lessen beginnen, mogen ze in de aula geen lawaai meer maken.
'Een jongen uit groep 5 heeft *De vliegende cavia* opgeschreven,' zegt Isabel.
Myrthe kijkt.
Bij sommige nummers staan een paar namen, maar bij *De vliegende cavia* staat alleen Bastiaan Mulder.
'Gaat hij als cavia verkleed aan de trapeze hangen?' vraagt Irene.
'Ik denk dat het iets met de cavia van Myrthes opa te maken heeft,' fluistert Isabel.
'Weet jij wie Bastiaan is?' vraagt Myrthe.
'Dat is een jongen met donkerbruin haar en een kuif. Hij zit nog niet zo lang hier op school,' zegt Isabel. 'Mijn broer zit in groep 5 en heeft wel eens over hem verteld. Hij is een beetje vreemd.'
'Dat is vast de jongen die je in het stadspark zag met zijn zelfgemaakte vliegtuigje,' fluistert Irene.
Myrthe knikt. De beschrijving klopt.
Hun meester staat in de deuropening van het klaslokaal en kijkt de aula rond. 'Komen jullie binnen?' vraagt hij. 'We gaan beginnen.'

Myrthe gaat aan haar tafeltje zitten en pakt haar leesboek. Elke middag beginnen ze met een halfuur vrij lezen. Myrthe leest een bladzijde, maar de zinnen dringen nauwelijks tot haar door. Ze leest wel drie keer dezelfde tekst zonder deze te begrijpen.
Irene zit ook te zuchten boven haar leesboek.
Myrthe ziet dat ze nog geen bladzijde heeft omge-

slagen. Ineens pakt Irene haar kladblok en krabbelt iets op een blaadje. Ze schuift het naar Myrthe. *Denk jij dat Bastiaan Snuffie gestolen heeft?* staat erop.
Myrthe krabbelt terug.
Ik weet het niet. Snuffie kan toch niet vliegen?
Ze schuift het blaadje naar Irene.
'Irene! Myrthe!' De stem van de meester klinkt laag en diep, zoals altijd wanneer hij waarschuwt.
Irene schuift het blaadje snel onder haar boek.

Als de bel gaat, hebben Myrthe en Irene eindelijk tijd om met elkaar te praten.
'We vragen het hem gewoon,' zegt Irene.
Myrthe twijfelt. 'Als hij Snuffie gestolen heeft, dan gaat hij dat heus niet aan ons vertellen. We kunnen hem beter gaan bespioneren.'
'Maar we weten niet waar hij woont,' zegt Irene.
De twee meisjes pakken hun jas en eenwielers.
'Daar loopt hij!' fluistert Myrthe.
Uit het lokaal van groep 5 komt een kleine jongen met donker haar. Hij heeft een rood-wit geblokt shirt aan en loopt zonder jas naar buiten.
'Is dat die jongen uit het stadspark?' vraagt Irene.
Myrthe knikt.
'Laten we hem volgen,' zegt Irene. 'We laten onze eenwielers wel op school, want daarmee vallen we te veel op.'

De jongen steekt de weg over. Hij balanceert met gespreide armen op de stoeprand alsof hij over een

evenwichtsbalk loopt. Daarna rent hij een stukje en vervolgens springt hij over een paaltje. Even later verdwijnt hij in een steegje.
'Kom, anders raken we hem kwijt.'
De meisjes rennen hem achterna. Aan beide zijden van de steeg zijn de achtertuinen van twee rijen huizen. Na drie tuinen maakt het pad een hoek naar links.
Als ze de hoek om zijn, is het pad leeg.
'Hij moet ergens ingegaan zijn,' fluistert Irene.
Myrthe knikt. Ze lopen langzaam het pad op en neer.
Elke tuin heeft een andere schutting. Sommige hekwerken zijn heel netjes, andere vallen bijna uit elkaar.
'Miauw!'
Een kat springt van een schutting omlaag en rent weg. Irene pakt Myrthes arm. Ze wijst. Via een gat in een schutting zien ze twee tuinen verderop een rode vlek. Het is het rood-wit geblokte shirt van Bastiaan. De jongen loopt gebukt, alsof hij iets zwaars tilt.
'Dat is hem!' fluistert Myrthe.

8. De leugen

Bastiaan haalt een paar terrastegels weg, zodat Snuffie niet zo hard zal vallen als hij hem vanaf het balkon naar beneden laat vliegen.
Hij rukt aan een zware grindtegel. Beetje bij beetje sleept hij hem weg. Een paar meter verderop laat hij de grindtegel op het gras vallen.
Zijn handen doen zeer.
Er klinken voetstappen in de steeg, die bij de poort halt houden. Zijn moeder komt nooit achterom. Wie zou daar zijn?
Door de kieren in het hout ziet hij iets bewegen. Bastiaan sluipt met ingehouden adem naar de poort.
Hij ziet niets meer bewegen, maar hij weet zeker dat aan de andere kant iemand staat. Of misschien is het wel een groepje kinderen. In zijn klas zitten een paar jongens die hem plagen. Ze vinden hem gek, omdat hij niet van voetballen houdt, maar liever uitvindingen doet.
Bastiaan weet ook wel dat niet alles wat hij bedenkt echt kan. Maar als niemand over nieuwe dingen nadenkt, worden ze ook niet uitgevonden.
De jongens lachten toen hij tegen de meester zei dat hij een circusnummer wilde doen met een vliegende cavia. Bastiaan gelooft echt dat het kan. Hij zal hen eens wat laten zien.

Achter de poort klinkt zacht, meisjesachtig gefluister.
Met een ruk trekt Bastiaan de poort open.
Er staan twee meisjes in de steeg.
'Help,' gilt het ene meisje.
Bastiaan heeft haar wel eens gezien. Zij is dat meisje met wie opa Thomas in het park was.
'Ik eh ... wij eh ...' stamelt ze.
Bastiaan trekt zijn wenkbrauwen op.
'Wij willen de vliegende cavia zien,' zegt het andere meisje.
'Wie zijn jullie?' vraagt Bastiaan.
Myrthe en Irene stellen zichzelf voor.
'Ik zag je gisteren in het stadspark,' zegt Myrthe.
Bastiaan knikt.
Myrthe gluurt de tuin in naar het vliegtuig dat onder een stuk zeil verborgen is.
'We weten dat je een circusnummer gaat doen met een vliegende cavia,' zegt Irene. 'Hoe gaat dat?'
'Die uitvinding is nog niet klaar,' antwoordt Bastiaan. 'Wacht maar tot het circus, dan kunnen jullie het zien.'
'Ga je echt een cavia laten vliegen of is het een trucje?' vraagt Myrthe.
'Echt!' zegt Bastiaan trots.
'Mogen we het zien?' vraagt Irene.
Bastiaan aarzelt. 'Het is nog niet af.'
Irene stapt de tuin in en tilt een stuk van het zeil op. 'Tsss, dat is een groot vliegtuig!'
'Zelfgebouwd,' zegt Bastiaan trots.
'Kun je er echt mee vliegen?' vraagt Myrthe.

'Ja,' liegt Bastiaan. Hij weet nog niet hoe, maar dat bedenkt hij nog wel.
'Maar het lijkt niet op een cavia,' zegt Irene.
'Dat vliegtuig is ook niet voor mijn circusnummer,' zegt Bastiaan.
'Waar ken jij mijn opa van?' vraagt Myrthe.
'Van het stadspark,' antwoordt Bastiaan.
Irene loopt naar de achterdeur. 'Mogen we even binnen kijken?'
Bastiaan aarzelt, maar Irene staat al in de keuken. Het aanrecht staat vol met vies serviesgoed. Gisteravond had zijn moeder gevraagd of hij wilde afwassen, maar dat is hij vergeten.
'Willen jullie limonade?' vraagt Bastiaan. Hij spoelt drie glazen om en pakt limonadesiroop uit de koelkast.
'Is er niemand thuis?' vraagt Myrthe.
'Mijn moeder werkt,' antwoordt Bastiaan.
'En je vader?'
'Hij woont hier niet.'

Ze nemen hun limonade mee naar de woonkamer en gaan aan de eettafel zitten. Op het tafelblad liggen tekeningen. Er is een tekening te zien van een vliegende meeuw. Op een overtrekblaadje heeft Bastiaan het skelet van de meeuw getekend.
'Mooi,' zegt Irene.
'Ik bestudeer hoe vogels vliegen,' vertelt Bastiaan. Hij laat een tekening zien van een vliegende cavia. Hij hangt in een soort tuigje en op de rug zit een motor met een propeller.

'Wordt dat de vliegende cavia?' vraagt Myrthe.
'Nee, dit is alleen een schets. Ik wil een vliegpak maken met vleugels eraan. Daar ben ik nu mee bezig.'
'Heb jij zelf een cavia?' vraagt Irene. 'De opa van Myrthe is zijn cavia namelijk kwijt. Dat heeft hij jou vast wel verteld.'
Bastiaan weet niet wat hij moet zeggen. 'Nee, ik ga binnenkort een cavia kopen,' liegt hij.
'Myrthes grootvader is heel verdrietig,' zegt Irene. Ze kijkt Bastiaan doordringend aan. 'Hij weet niet waar de cavia gebleven is, hè Myrthe?'
Myrthe knikt. 'Hij mist hem vreselijk.'
'Hoe laat komt je moeder thuis?' vraagt Irene.
'Vanavond pas. Ze werkt in een café. Ik moet zelf avondeten koken en straks ga ik haar ophalen.'
'Laten we maar gaan,' zegt Myrthe.

Opgelucht ziet Bastiaan de vriendinnen vertrekken. Hij gaat naar zijn kamer en haalt Snuffie uit zijn doos.
Bastiaan knuffelt de cavia. Daarna zet hij hem in het tuigje van het vliegtuigje. Gisteravond heeft hij hard gewerkt aan zijn vliegtuigje dat van Snuffie een vleercavia maakt.
Bastiaan start de motor. De vleugels klapperen. Snuffie is klaar voor de eerste testvlucht.

9. Snuffie vliegt

Bastiaan loopt over straat. Met één hand drukt hij de cavia tegen zijn buik en met zijn andere hand houdt hij het vliegtuigje vast.
Bij het appartement van opa Thomas belt hij aan. Opa doet de deur open.
'Dag opa,' zegt Bastiaan.
'Dag jongen. Kom je oude kranten ophalen?'
Bastiaan twijfelt eraan of opa hem wel herkent. Misschien ziet hij hem niet zo goed.
'Ik ben het, Bastiaan! U weet wel, van de zelfgebouwde vliegtuigjes.'
Opa beweegt nadenkend zijn hoofd. Het lijkt zowel op een bevestiging als op een ontkenning.
'Hier is Snuffie,' zegt Bastiaan. Hij haalt de cavia onder zijn trui vandaan.
Ineens begint opa's gezicht te stralen. 'Snuf! Je hebt Snuffie gevonden. Waar was hij?'
'Bij mij,' zegt Bastiaan. 'Ik mocht hem toch lenen?'
'O ja!' Opa lijkt het zich weer te herinneren. 'Wil je even binnenkomen?'
Bastiaan loopt de huiskamer in en zet Snuffie op de eettafel. Het donkerrode vliegtuigje legt hij voorzichtig op de bank.
Op tafel staat een schoteltje met een plakje komkommer. Opa gaat aan de eettafel zitten. Met trillende handen aait hij Snuffie over zijn vacht.

Snuffie begint meteen van de komkommer te eten.
'Ineens was Snuffie verdwenen,' zegt opa.
Bastiaan voelt zich vreselijk schuldig. Als hij had geweten dat opa Snuffie zo zou missen, had hij hem niet meegenomen.
'U was met de cavia in het stadspark en wij hadden het over vliegtuigjes,' vertelt Bastiaan. 'Ik vroeg of ik Snuffie mocht laten vliegen in een speciaal zelfgebouwd vliegtuigje. Weet u dat niet meer?'
Er verschijnt een diepe rimpel in opa's voorhoofd. Het is duidelijk dat hij het zich niet meer herinnert.
'U vond het een leuk idee,' zegt Bastiaan. 'We gaan op school een circusact doen. Mijn nummer heet "De vliegende cavia".'
Bastiaan pakt zijn donkerrode vliegtuigje van de bank en laat het aan opa zien. In het midden zitten riemen en gespen.
'Dat is knap gemaakt,' zegt opa.
'In dat tuigje past Snuffie,' legt Bastiaan uit. 'Bovenop zit een motor die de vleugels laat klapperen. Snuffie kan sturen door met zijn voorpootjes te trappelen.'
Bastiaan kijkt op zijn horloge. Straks gaat hij zijn moeder ophalen in het café. Als ze nu naar buiten gaan, kunnen ze nog even oefenen met Snuffie.
'Zullen we nog even naar het stadspark gaan?' vraagt Bastiaan.
Opa knikt.
Bastiaan tilt de cavia van tafel en zet hem in opa's boodschappentas. Daarna geeft hij opa zijn wandelstok aan.

Het is rustig in het stadspark. Bastiaan en opa lopen langzaam, want opa kan niet zo snel.
Boven op de heuvel legt Bastiaan zijn vliegtuigje in het gras. 'Geef Snuffie maar,' zegt hij.
Opa tilt Snuffie uit de tas.
De cavia spartelt in Bastiaans handen. 'Dit wordt je eerste vliegreis.' Bastiaan geeft Snuffie een kus op zijn snuit. 'Je boft maar. Jij staat later in alle geschiedenisboeken als de eerste vleercavia.'
Bastiaan bindt Snuffie vast in het vliegtuigje. Om zijn voorpootjes komt een touwtje dat verbonden is met de vleugels. Daarna zet Bastiaan de motor aan.
De vleugels klapperen op en neer.
Bastiaan houdt Snuffie boven zijn hoofd.
Opa kijkt zorgelijk. 'Is het niet gevaarlijk?'
'Ik zal hem niet zo hoog opgooien,' belooft Bastiaan.
Voorzichtig laat hij de cavia los. Snuffie gaat omhoog.
'Hij vliegt,' roept Bastiaan.
Bastiaan en opa kijken hoe de cavia over de heuvel vliegt.
'Hij doet het,' schreeuwt Bastiaan.
Opa's mond zakt open. 'Geweldig! Zoiets heb ik nog nooit gezien! Ze bedenken toch wat tegenwoordig!'
Bastiaan pakt opa's hand. Hij is trots. Dit is echt zijn beste uitvinding tot nu toe.

10. Vermist

Myrthes moeder is aan het koken. 'Wat ben je laat,' moppert ze, als Myrthe thuiskomt.
'Sorry,' antwoordt Myrthe.
'Waar is je eenwieler?'
'Die heb ik op school laten staan.'
'Ik maakte me ongerust,' zegt haar moeder. 'Hoe was het bij opa? Was zijn appartement een beetje netjes? Zorgt hij goed voor zichzelf? Heb je de koelkast gecontroleerd? Ik zal er binnenkort eens gaan schoonmaken. Ben je al die tijd bij opa geweest? Is de cavia alweer terug? Wil jij de tafel dekken?'
Myrthes moeder kan wel twintig dingen achter elkaar vragen, zonder eerst het antwoord af te wachten.
'Ik was gisteren al bij opa,' zegt Myrthe terwijl ze de borden op tafel zet. 'Vanmiddag gingen Irene en ik Snuffie zoeken.'
Myrthe vertelt over de lijst en het circusnummer met de vliegende cavia. Ze vertelt dat ze Bastiaan gevolgd zijn en dat hij vliegtuigen maakt.
'Wat een raar verhaal,' zegt haar moeder. 'Die jongen zal toch niet echt een cavia willen laten vliegen?'
'Volgens mij wel. Hij doet uitvindingen.'
'Hij heet Bastiaan, zeg je?'
Haar moeder zet een braadpan op tafel. 'Die naam

hoor je niet vaak. Waar hoorde ik die nou laatst? Wat is het voor jongen?'
'Hij woont hier pas een paar maanden en hij zit in groep 5,' antwoordt Myrthe.
'Ik weet het!' Haar moeder knikt. 'Ik heb vorige week met opa in een eetcafé vlak bij het stadspark een broodje gegeten. Daar werkte een nieuwe serveerster. Desiree, heet ze. Ze heeft een zoon die Bastiaan heet en ze vertelde dat ze hier nog niet zo lang wonen.'
'Was zij ook vreemd?' vraagt Myrthe.
'Nee, ze leek me heel aardig.'
'Bastiaan is anders best apart.'
'Ach, jongens hebben wel vaker gekke ideeën,' zegt haar moeder. 'Was je handen, dan gaan we eten. Mijn broertje wilde vroeger zelf een zeilboot maken. Dat lukte natuurlijk niet. Bastiaan heeft waarschijnlijk gewoon te veel fantasie.'
'Hij doet alsof opa Thomas ook zijn opa is,' zegt Myrthe. 'Volgens mij heeft hij Snuffie gestolen.'
'Hij kan best zelf een cavia hebben,' antwoordt haar moeder.
'Bastiaan zei dat hij geen cavia had,' zegt Myrthe.
'Ik zal opa straks eens bellen,' zegt ze. 'Heb je hem al gevraagd of hij volgende week meegaat naar het schoolcircus?'
Myrthe knikt. 'Hij vindt het leuk om te komen.'

Na het eten pakt moeder de telefoon. 'Hij neemt niet op,' zegt ze.
Myrthe fronst haar wenkbrauwen. 'Opa gaat nooit

’s avonds nog ergens heen.’
‘Misschien is hij even naar de wc,’ antwoordt haar moeder. ‘Ik probeer het straks nog wel een keer.’
Moeder wacht een kwartiertje en belt dan nog eens. ‘Vreemd. Er zal toch niets gebeurd zijn? Zullen we gaan kijken?’

Een kwartier later bellen Myrthe en haar moeder aan bij het appartement. Niemand doet open. Gelukkig heeft moeder zelf een sleutel. Binnen zijn alle lichten uit. Het deurtje van het hok van Snuffie staat open.
Myrthe wijst op het schoteltje op tafel. ‘Er is geknabbeld aan het plakje komkommer.’
‘Misschien heeft opa dat zelf gedaan,’ antwoordt haar moeder. ‘Maar het is wel raar dat hij verdwenen is. Ik ga de politie bellen.’
Ze praat via haar mobiel met een agent. ‘Mijn vader is vermist. Ongeveer één uur geleden. Hij gaat anders nooit ’s avonds nog naar buiten. Kunt u iets doen?’
De agent belooft dat ze zullen opletten of ze een oude man alleen op straat zien. Maar ze gaan nog niet zoeken, want na één uur is iemand nog niet echt vermist.
‘Laten we dan zelf gaan zoeken,’ zegt Myrthe.

11. Vast in de boom

Bastiaan en opa zijn in het park. Ze kijken hoe Snuffie als een grote roofvogel door de lucht vliegt. Hij lijkt net een reuzenvleermuis. Eigenlijk zou Snuffie 's nachts moeten oefenen.
Bastiaan houdt van de nacht. Er zijn twee werelden: de wereld overdag en de wereld 's nachts. Overdag is het vaak druk in het stadspark. 's Nachts is de wereld veel leger. De meeste mensen blijven dan binnen om te slapen. Daarom is 's nachts alles spannender. Sommige dieren zijn juist 's nachts wakker en slapen overdag. Vleermuizen bijvoorbeeld. Als Snuffie een goede vleercavia wil worden, moet hij in het donker oefenen met vliegen.
Onder aan de heuvel vliegt Snuffie rakelings langs een boompje en hij verdwijnt in een paar hoge struiken.
'Waar is Snuffie nou?' vraagt opa.
'Ik ga wel even kijken,' antwoordt Bastiaan. 'Wacht u hier maar.'
Bastiaan rent de heuvel af. Hij zoekt in de struiken. 'Snuf? Snuffie?'
Uit een hoge struik klinkt een zacht gepiep.
Als Bastiaan dichtbij is, ziet hij het vliegtuigje als een kapotte vlieger tussen de takken hangen. De vleugels klapperen niet meer.
Bastiaan rekt zich uit, maar hij kan er niet bij.

'Jongen, waar ben je?' klinkt opa's stem bezorgd. Bastiaan rent terug en ziet opa de heuvel af lopen.
'Hier ben ik, opa.'
'Is alles goed met Snuffie?'
'Ja, ik denk het wel.'
Bastiaan brengt opa naar het struikgewas.
'Waar is Snuffie dan?' vraagt opa.
'In dat boompje,' wijst Bastiaan.
Opa knikt. 'Hoe halen we hem eruit?'
'Ik zal proberen om erin te klimmen,' zegt Bastiaan. Hij gaat zo dicht mogelijk bij de dunne stam staan, maar er is niets waar hij zijn voet op kan zetten.
'Mag ik uw wandelstok?'
Bastiaan tilt de wandelstok omhoog en duwt tegen het vliegtuigje. Als Snuffie piept, laat Bastiaan de wandelstok weer zakken, want hij is bang dat hij Snuffie pijn doet.
Het is rustig in het park, want de meeste mensen eten nu.
In de verte klinken gedempte stemmen.
Snuffie piept zachtjes.
'Zal ik met mijn handen een steuntje maken?' vraagt opa. 'Dan kun jij je voet erin zetten en in het boompje klimmen.'
Opa probeert het, maar Bastiaan is te zwaar.
'Kom maar op mijn rug staan,' zegt opa. Hij gaat op handen en voeten op de grond zitten.
'Gaat het wel? Ben ik niet te zwaar?' vraagt Bastiaan.
'Het is goed, jongen,' antwoordt opa. 'Ik ben niet van suiker.'

Snel klimt Bastiaan op opa's rug. Hij grijpt naar het vliegtuigje. De stof van de donkerrode vleugels scheurt, maar de tak komt omlaag en Bastiaan kan Snuffie pakken.
Snel stapt hij van opa's rug af. Kreunend komt opa overeind.
'Gaat het?' vraagt Bastiaan bezorgd.
'Ja hoor. Heb je hem?'
'Bijna.'
Voorzichtig tilt Bastiaan de cavia uit zijn tuigje en hij geeft hem aan opa.
De stemmen komen dichterbij.
Opa let er niet op. Hij knuffelt Snuffie. En Bastiaan is druk bezig zijn vliegtuigje zo goed mogelijk uit de boom te halen, zonder de vleugels nog meer te beschadigen. De schade valt mee. Hij zal het vanavond meteen repareren.
'Ik moet zo naar mijn moeder,' zegt Bastiaan. 'Maar ik breng u eerst naar huis.'
'Fijn,' antwoordt opa.

12. In het café

Myrthe en haar moeder lopen door het stadspark en kijken bij het bankje waarop opa vaak zit.
'Ik hoor wat in de struiken,' zegt Myrthe. 'Volgens mij zijn daar mensen.'
'Brr ...' griezelt haar moeder. 'Ik ga daar echt niet kijken.'
Ze staan stil om te luisteren. Er klinkt inderdaad geritsel en gekraak.
'Misschien is het een vogel,' zegt Myrthe.
Ze volgen het wandelpad tot de rand van het park, zonder opa te vinden. Aan de overkant van de straat is een café.
'Laten we kijken of Desiree er is,' zegt Myrthes moeder. 'Zij weet misschien waar Bastiaan, opa en Snuffie zijn.'

Myrthes moeder gaat op een barkruk zitten. 'Hoi, Desiree.'
De blonde vrouw achter de bar kijkt haar vriendelijk aan. 'Dag, Jacqueline. Is dat je dochter? Grote meid al.'
Myrthe schaamt zich, want ze praten over haar alsof ze er niet bij is.
'Dit is mijn dochter, Myrthe. Ze kent jouw zoon, Bastiaan.'
'O, wat leuk! Zitten jullie in dezelfde klas?'

Myrthe schudt haar hoofd. 'Bastiaan zit een klas hoger.'
'Bastiaan kent mijn vader ook,' zegt Myrthes moeder.
'Is opa Thomas jouw vader?' Desiree lacht. 'Wat leuk! Bastiaan is helemaal weg van hem. Hij heeft zelf geen opa en zijn vader ziet hij ook niet zo vaak.'
'Ik was hier vorige week 's middags met mijn vader,' zegt Myrthes moeder.
'Dat weet ik nog!' antwoordt Desiree. 'Wat willen jullie drinken?'
Terwijl Desiree drankjes inschenkt, kletst ze verder. 'Bastiaan is helemaal weg van vliegtuigen bouwen. Hij oefent met zijn zelfgebouwde vliegtuigjes in het stadspark en daar heeft hij jouw vader leren kennen.'
'Mijn vader is inderdaad graag buiten,' zegt Myrthes moeder. 'Ik maak me wel eens zorgen. Hij is namelijk nogal vergeetachtig, dus ik ben bang dat hij verdwaalt of zomaar de straat oversteekt. Nu is hij ook onbereikbaar. Ik vraag me af of Bastiaan weet waar hij is.'
Desiree fronst haar wenkbrauwen. 'Bastiaan zou hierheen komen, maar hij is laat. Ik bel hem wel even.' Ze kijkt op haar mobiel. 'Hij neemt niet op. Dan is hij waarschijnlijk onderweg.'

Er komen nieuwe klanten binnen, die Desiree moet bedienen.
'Je moet nog naar Snuffie vragen,' fluistert Myrthe. Haar moeder knikt.
Als Desiree weer even tijd heeft, vraagt Myrthes

moeder: 'Volgende week is er een circusoptreden op school. Doet Bastiaan nog ergens aan mee?'
'Ik heb er nog niets van gehoord,' zegt Desiree.
'Er staat op de lijst dat hij een nummer doet met een vliegende cavia,' zegt Myrthe.
Desiree glimlacht. 'Bastiaan zit altijd vol gekke ideeën. Dat lijkt me echt iets voor hem.'
'Hebben jullie eigenlijk een cavia?' vraagt Myrthes moeder.
'Ja, een paar dagen geleden kwam Bastiaan daarmee thuis. Van een vriendje gekregen, geloof ik.'
Desiree pakt hun glazen en spoelt ze om. Myrthe en haar moeder kijken elkaar geschrokken aan.
'Wij moeten gaan,' zegt Myrthes moeder. Ze schrijft haar telefoonnummer op een bierviltje en geeft het aan Desiree. 'Bel je ons, als je toevallig iets over mijn vader hoort?'
'Natuurlijk,' zegt Desiree. 'Kom nog eens langs!'

'Waarom zei je niet dat Bastiaan Snuffie heeft?' vraagt Myrthe zodra ze buiten staan.
'Als ik dat tegen Desiree zeg, gaat zij dat straks aan Bastiaan vragen. Misschien liegt Bastiaan en probeert hij Snuffie te laten verdwijnen. De veiligheid van Snuffie staat voorop.'
Myrthe knikt. Bastiaan mag Snuffie geen kwaad doen.
Dit keer lopen ze om het stadspark heen. In de verte torent opa's flat boven de kastanjebomen uit.
'Zullen we nog een keer kijken?' vraagt Myrthe.
Myrthe en haar moeder nemen de lift naar boven.

Nadat ze hebben aangebeld, doet opa de voordeur open.
'Waar was u?' zegt Myrthes moeder en ze stormt het appartement in.
'Nog even naar het park met Snuffie,' antwoordt opa.
'Snuffie is toch verdwenen?' vraagt Myrthes moeder.
'Hij is alweer terug.' Opa gaat aan de eettafel zitten.
'Willen jullie iets drinken?'
Myrthe en haar moeder kijken tegelijk naar de kooi. Twee zwarte, glinsterende kraaloogjes kijken terug.
'Snuf!' Myrthe haalt Snuffie uit het kooitje. De cavia voelt een beetje koud aan, alsof hij inderdaad net buiten is geweest.
'Hoe kan dat nou?' vraagt Myrthes moeder. 'Bent u Snuffie ergens gaan halen? Was u daarom weg? Waarom nam u de telefoon niet op? Was u naar buiten? Waar bent u geweest? U kunt mij toch bellen, als er iets aan de hand is?'
'Mam, niet alles door elkaar vragen,' zegt Myrthe.
'Dat heeft geen zin.'
Haar moeder knikt. 'Sorry, maar ik begrijp er niets van.'
Opa strijkt door zijn grijze haar. 'Ik weet het niet precies.'
Myrthe gaat naast de kooi op de grond zitten en aait Snuffie.
De knieën van opa's beige ribbroek zijn zwart, ziet ze ineens. Heeft opa buiten over de grond gekropen? Ze denkt aan het geritsel in de struiken. Was dat opa? Wat doet haar grootvader toch allemaal?

13. Ruzie

De volgende ochtend lopen Myrthe en Irene naar school, want hun eenwielers staan daar nog.
'Snuffie is terug,' vertelt Myrthe aan haar vriendin.
'Opa was gisteravond verdwenen en toen hij weer thuis was, was Snuffie er ook.'
'Is hij hem gaan ophalen bij Bastiaan?' vraagt Irene.
Myrthe haalt haar schouders op. 'Hij was in het stadspark geweest, zei hij.'
Op het schoolplein zien ze dat Bastiaan er al is.
'We gaan Bastiaan vragen of hij er iets van weet,' zegt Irene. Ze stapt op Bastiaan af. 'Waar was jij gisteravond?' vraagt ze.
'In mijn moeders café,' antwoordt Bastiaan. 'Mijn moeder zei dat jullie mij zochten.'
'Eigenlijk zochten we mijn grootvader,' zegt Myrthe. 'Weet jij waar hij was?'
Bastiaan knikt. 'Opa en ik waren in het park.'
Dus toch! denkt Myrthe. Ze probeert niet boos te kijken, want dan houdt Bastiaan misschien zijn mond.
'Wat gingen jullie daar doen?' vraagt Myrthe zo aardig als ze kan.
Bastiaan geeft niet meteen antwoord. Hij weet natuurlijk niet wat hij moet zeggen, denkt Myrthe.
'We gingen Snuffie zoeken,' zegt hij na een tijdje.
'Ik vond het zo zielig voor je opa dat de cavia

verdwenen was! 's Avonds kun je beter zoeken dan overdag, want cavia's komen altijd op het licht af. Daarom hebben we met een zaklamp gezocht. Ineens zat Snuffie op het pad. Soms moet je gewoon een beetje slim zijn.' Bastiaan grijnst.
Zou dat waar zijn van die zaklamp? Myrthe weet dat overstekende egels en hazen vaak in de koplamp van een auto staren. Ze blijven dan doodstil en angstig op de weg zitten in plaats van dat ze vluchten. Zo worden veel dieren doodgereden.
'Waar hebben jullie Snuffie dan gevonden?' vraagt Myrthe.
'Ergens bij het bankje in de buurt van de vijver. Op de plek waar opa hem vaak loslaat.'
'Opa laat hem nooit los,' zegt Myrthe.
'Dat weet jij misschien niet,' zegt Bastiaan, 'maar als ik jouw opa zie, laat hij Snuffie vaak loslopen.'
'Dat is gevaarlijk,' zegt Myrthe.
'Soms moet je een beetje risico durven nemen,' zegt Bastiaan. 'Van jou mag opa niks. Hij vindt het leuker om met mij te spelen.'
Nu kan Myrthe niet meer verbergen dat ze boos is. 'Jij brengt mijn grootvader in gevaar,' zeg ze. 'Opa is verward en vergeetachtig. Hij weet zelf niet precies wat hij doet. Als opa wat breekt, moet hij naar een verpleeghuis. Je moet hem niet die heuvel op laten klimmen en met vliegtuigjes laten gooien.'
'Dat vindt hij leuk,' zegt Bastiaan. 'Mensen moeten doen wat ze leuk vinden, anders ben je al dood terwijl je nog leeft. Jouw opa is eenzaam en hij vindt het gezellig als ik met hem speel.'

‘Mijn opa is helemaal niet eenzaam,’ zegt Myrthe kwaad. ‘Ik ga vaak op bezoek en hij heeft Snuffie.’
‘Dat is niet genoeg,’ zegt Bastiaan. ‘Ik vrolijk hem op, want wij doen samen leuke dingen. Daarom is opa liever met mij in het park.’
‘Hij is jouw opa helemaal niet,’ zegt Myrthe mokkend.
Bastiaan haalt zijn schouders op. ‘Ik mag opa zeggen.’
‘Dat lieg je,’ zegt Myrthe. ‘En jouw moeder zegt trouwens dat je wel een cavia hebt. Die heb je een paar dagen geleden zogenaamd van een vriendje gekregen. Jij hebt Snuffie gestolen.’
‘Dat was een andere cavia,’ antwoordt Bastiaan snel. ‘Die heb ik alweer teruggegeven. Maar dat weet mijn moeder niet. Ze komt nooit op mijn kamer.’
Myrthe gelooft er niets van. Ze wou dat Bastiaan hier nooit was komen wonen.
‘Mijn grootvader mag ’s avonds niet naar buiten,’ zegt Myrthe. ‘Hij kan gemakkelijk verdwalen, want hij is heel erg vergeetachtig.’
‘Ik heb hem naar huis gebracht,’ zegt Bastiaan. ‘Ik pas heus wel goed op opa Thomas.’
‘Hoe kwam zijn broek zo zwart?’ vraagt Myrthe.
‘Snuffie was in een struik gevlogen,’ vertelt Bastiaan. ‘Opa Thomas ging op de grond zitten zodat ik op zijn rug kon staan.’
Myrthes ogen worden zo groot als stuiterballen.
‘Opa is hartstikke oud en hij loopt slecht. Dan ga je toch niet op zijn rug staan? En Snuffie kan helemaal niet vliegen!’

De schoolbel gaat.
'Kom. Alles wat hij zegt, is gelogen,' zegt Irene.
'Wij luisteren niet naar hem.'
De meisjes draaien zich om en lopen de school in.
Bastiaan verdwijnt in zijn eigen klaslokaal.

14. Snuffie vliegt door de stad

Na schooltijd oefenen Myrthe, Irene, Isabel en Annemiek met hun eenwielers. Ze bedenken kunstjes die ze tijdens hun circusact kunnen doen, zoals fietsen met één been. Het is heel moeilijk, maar om te zien is het een beetje saai.
'We moeten iets spannenders bedenken!' zegt Isabel.
Annemiek knikt. 'Zullen we thuis op internet kijken of we nog leukere trucjes zien?'
De anderen vinden het een goed idee. 'Zullen we naar mijn huis gaan?' vraagt Isabel.
'Ik wil eigenlijk nog even naar mijn opa,' zegt Myrthe. 'Is het goed als jullie dat zonder mij doen?'
'Natuurlijk! We fietsen wel een stukje met je mee,' zegt Isabel. 'Wij moeten toch dezelfde kant op.'

De meisje fietsen achter elkaar over het trottoir.
'Daar is iets aan de hand,' zegt Irene.
Op het kruispunt aan de rand van het stadspark staat een auto stil. Iemand toetert.
'Er vliegt iets door de lucht,' zegt Myrthe.
Ze rijden er snel heen. Het ding in de lucht lijkt op een grote, donkerrode roofvogel. Hij vliegt erg laag. Als ze dichterbij komen, zien ze dat het op een vreemde vlieger lijkt, maar er zit geen touw aan. Het is eerder een piepklein vliegtuigje. In het mid-

den zit een echt dier, met echte oogjes en oortjes. Ineens ziet Myrthe het. 'Snuffie,' roept ze. 'Daar vliegt Snuffie!'
De cavia vliegt laag over de auto's. Bastiaan rent erachteraan. Daar achteraan komt opa, maar hij gaat niet zo snel.
Ademloos kijken de meisjes naar de vliegende cavia. En ze zijn niet de enigen. Een grote bus is gestopt en alle passagiers kijken naar die wonderlijke vogel.
'Ik ga wel naar jouw opa,' zegt Irene tegen Myrthe. 'Ga jij maar achter Snuffie aan.'
Dat is aardig, want Myrthe wil inderdaad het liefst bij Snuffie blijven.
De cavia vliegt recht op de bus af, maar vlak voordat hij hem raakt, draait hij naar links en vliegt hij een zijstraat in.
Myrthe, Isabel en Annemiek fietsen erachteraan.

Een man met een grote hond komt naast hen lopen.
'Wat is hier aan de hand? Van wie is dat vliegtuigje?'
'Het is geen vliegtuigje, maar een vliegende cavia,' zegt Myrthe.
De mond van de man zakt open. Langs de kant van de weg blijven mensen stilstaan om te kijken. Verderop praat een mevrouw in haar mobieltje. Bastiaan rent met een afstandsbediening in zijn handen, maar die lijkt niet goed te werken. Myrthe probeert hem op haar eenwieler in te halen.
'Bastiaan!'

2

Hij kijkt om.
'Bestuur jij Snuffie?' vraagt Myrthe.
'Hiermee kan ik ...' Bastiaan hijgt. '... de motor bedienen. Snuffie stuurt zelf.'
Myrthe kijkt weer naar de vliegende cavia. Hij scheert rakelings langs de huizen aan de rechterkant van de weg. Stel je voor dat hij een muur raakt ...
Ineens lijken de donkerrode vleugels een stuk langzamer te gaan. Snuffie valt een eindje naar beneden. Myrthe fietst sneller tot ze vlak achter Snuffie rijdt. Misschien kan ze hem pakken? Maar plotseling vliegt Snuffie recht vooruit en maakt hij weer vaart.
'Doe jij dat?' vraagt ze.
'Nee, de motor reageert niet goed op de afstandsbediening. Daar had mijn raceauto ook altijd last van.'
Myrthe rilt. Ze vindt het levensgevaarlijk.

15. Gevangen

Aan de andere kant van de straat nadert een bestelbusje en Snuffie vliegt er recht op af.
Myrthe schrikt.
De bestuurder kijkt met grote ogen naar de vleercavia die op zijn voorruit af vliegt. Hij rijdt de stoep op.
Zoef! Snuffie vliegt vlak voor de bestelbus langs.
Een fietser krijgt een vleugel tegen zijn hoofd. Hij slingert en valt bijna van zijn fiets.
'Sorry,' roept Myrthe, maar ze heeft geen tijd om te stoppen.
Snuffie vliegt rechtsaf een zijstraat in.
De vleugels gaan opnieuw langzamer en Snuffie zakt.
'Werkt de motor op benzine?' vraagt Myrthe hijgend. Ze heeft nog nooit zo hard gefietst op haar eenwieler.
'Nee, er zit ...' Bastiaan hapt naar adem, 'een accu in.'
'Hoelang duurt het ... voordat hij leeg is?' vraagt Myrthe.
'Een kwartier ... soms stopt hij ineens.'
'En dan valt Snuffie?'
'Cavia's komen altijd ... op hun pootjes terecht,' zegt Bastiaan.
Myrthe is ontzettend boos. Bastiaan is in de war

met katten. Cavia's kunnen al doodgaan als ze van één meter hoog vallen, want hun pootjes zijn veel te klein om de klap op te vangen.
Maar ze hijgt te hard om goed ruzie te kunnen maken. En ze moeten er nu eerst voor zorgen dat Snuffie veilig is.
Achter hen klinkt een sirene.
Myrthe kijkt over haar schouder. Een motoragent rijdt de straat in.
Snuffie gaat steeds lager vliegen. Als Myrthe naast hem rijdt, kan ze er misschien wel bij.
Verderop is het winkeltje van Johannes. Ze ziet dat hij net naar buiten komt lopen.
'Johannes! Johannes!'
Johannes draait zich om.
'Wilt u Snuffie vangen?' roept Myrthe.
'Snuffie?'
Verbaasd kijkt Johannes naar de vliegende cavia, maar hij aarzelt niet. Meteen gaat hij met gespreide armen midden op de weg staan.
'Snuf! Kom maar, Snuffie!'
De cavia kent Johannes natuurlijk. Hij vliegt zijn kant op. Met twee handen grijpt Johannes de vleugels vast.
Hijgend staan Myrthe en Bastiaan stil.
'Hoe gaat het met Snuffie?' Myrthe aait de kop van de cavia en wil hem uit het tuigje trekken.
'Voorzichtig! Je maak het vliegtuigje kapot! Laat mij het maar doen.' Bastiaan duwt haar opzij en maakt een van de koperkleurige gespjes los.
'Dat vliegtuig kan me niks schelen,' bromt Myrthe.

'Je kunt Snuffie toch niet zomaar door de stad laten vliegen!'
'Hij doet het anders heel goed!' zegt Bastiaan. 'Gisteren in het stadspark vloog hij nog in een boompje, maar hij leert al sturen! Die cavia heeft talent!'
Bastiaan tilt Snuffie uit het tuigje en geeft hem aan Myrthe. Het arme dier rilt.
'Hij is doodsbang,' zegt Myrthe.

De agent zet zijn motor op de standaard. Annemiek en Isabel komen ook hijgend aan fietsen.
'Wat is dit allemaal?' vraagt de agent.
Johannes schudt zijn hoofd. 'Ik heb geen idee.'
'Van wie is dit vliegtuig?' vraagt de agent.
'Van mij,' antwoordt Bastiaan.
'Weet je dat je daarmee mensen in gevaar brengt?'
De agent pakt een schrijfblokje. 'Je mag op straat niet spelen met dingen die het verkeer hinderen, zoals een voetbal of een vlieger. Dat doe je maar in het stadspark. Je had wel een verkeersongeluk kunnen veroorzaken.'
'Voor de cavia is het ook gevaarlijk,' zegt Myrthe.
De agent knikt. 'Zat die cavia in het vliegtuigje? Daar zal de dierenpolitie niet blij mee zijn. Het lijkt mij dierenmishandeling. Is dat huisdier van jou?'
'Nee, van opa Thomas,' zegt Bastiaan.
De agent draait zich om naar Johannes. 'Bent u opa Thomas?'
'Nee, ik ben een vriend van Thomas.'
'Daar komt mijn grootvader aan,' wijst Myrthe.
Er stopt een politieauto. Irene en opa stappen uit.

'We kregen een lift,' vertelt Irene opgewonden.
Myrthe ziet dat opa op zijn pantoffels loopt. En hij heeft geen jas aan. Dat zou nooit gebeurd zijn als zij met opa naar buiten was gegaan.
De agent geeft opa Thomas een hand. 'Dus u bent de grootvader van deze jongen?'
'Nee, van haar,' zegt Bastiaan en hij wijst naar Myrthe.
Myrthe knikt voldaan. Precies, het is háár grootvader.

Het is druk geworden in het straatje. Op het trottoir staan groepjes mensen te praten. Sommigen hebben Snuffie zien vliegen en vertellen erover. Anderen vragen zich af waarom er een politieauto en politiemotor gestopt zijn.
Myrthe heeft het gevoel alsof ze meedoet in een film.
De agent noteert opa's naam en ook die van Bastiaan.
Als er door Snuffie een ongeluk gebeurd was, was het opa's schuld geweest, vertelt hij, want Snuffie is opa's huisdier. Daarom had opa het niet goed mogen vinden. Gelukkig is het goed afgelopen.
Bastiaan krijgt ook een waarschuwing. De agent schrijft zijn naam en telefoonnummer op. 'Als zoiets nog een keer gebeurt, kun je een forse bekeuring krijgen,' zegt hij.
Bastiaan ziet een beetje bleek om zijn neus.
Net goed, denkt Myrthe.

16. Plan voor het circusnummer

'Komen jullie binnen?' vraagt Johannes. 'Ik wil wel eens horen wat jullie aan het doen waren.'
Myrthe vindt het een goed idee, want dan hebben ze geen last van pottenkijkers.
Johannes en opa Thomas gaan op een oude, versleten bank zitten. Myrthe pakt een krukje en neemt Snuffie op schoot. Zijn hartje klopt alweer iets rustiger. Bastiaan, Isabel, Irene en Annemiek blijven staan, want meer zitplaatsen zijn er niet.
Johannes vraagt aan Bastiaan of hij het donkerrode vliegtuigje mag bekijken.
'Dat heb je knap gemaakt,' zegt Johannes.
'Zeker,' zegt opa. 'Jij bent een genie!'
Bastiaan glimt van trots.
'Het is echt heel bijzonder dat jij dit zelf hebt gemaakt,' zegt Johannes. 'Maar de politieagenten willen niet dat je dieren laat vliegen.'
'Ze hebben gelijk,' zegt Myrthe. 'Het was levensgevaarlijk. En Snuffie is helemaal overstuur! Hij mag niet met je circusact meedoen.'
Johannes begrijpt er niets van. 'Wat heeft Snuffie met het circus te maken?'
Bastiaan vertelt over zijn plannen met de vliegende cavia.
'Kun je geen ander circusnummer bedenken?' vraagt Johannes.

‘Waarom ga je zelf niet vliegen?’ vraagt Irene.
‘Dat kan ik niet,’ zegt Bastiaan onzeker. Hij ziet er ineens niet meer zo stoer uit.
‘En dat grote, zelfgebouwde vliegtuig dan, dat in jouw tuin staat?’ vraagt Irene.
Opa en Johannes kijken geïnteresseerd. ‘Wat is dat voor vliegtuig?’ vraagt opa.
‘Ik heb het nagemaakt van een foto,’ vertelt Bastiaan. ‘Het lijkt op dat bordeauxrode vliegtuig.’ Hij wijst het vliegtuigmodel aan van het vliegtuigje met de grote wielen dat opa ooit gemaakt heeft.
‘Werkelijk?’ vraagt opa. ‘Dat is altijd mijn lievelingsvliegtuig geweest. Heb je die in het groot nagemaakt? Wat voor soort hout heb je gebruikt?’
Bastiaan vertelt. Opa wil alles weten. Je merkt er nu niks van dat opa verward is, denkt Myrthe. Als hij over dingen van vroeger praat, weet hij altijd alles nog.
‘Waarom doe je niet met dat grote vliegtuig mee met het circus?’ vraagt opa.
Bastiaan bloost. ‘Er zit geen motor in, want ik weet niet hoe dat moet.’
‘Dat geeft toch niks,’ zegt Johannes. ‘Je hoeft niet echt te vliegen. Als je wielen hebt, kun je het vliegtuig laten rijden. En als je een decor maakt van wolken, lijkt het net alsof je vliegt.’
‘Maar dan heb ik wel iemand nodig om te duwen,’ zegt Bastiaan.
‘Kunnen de meisjes dat niet doen?’ vraagt Johannes.
Isabel en Annemiek giechelen. Ze gaan echt niet met Bastiaan op het podium staan!

'Wij doen al een circusnummer met eenwielers,' zegt Myrthe.
'Wordt het een indrukwekkend optreden?' vraagt Johannes.
Myrthe aarzelt. Eigenlijk is hun circusnummer nog steeds te saai. 'Het gaat wel,' zegt ze. 'We weten nog niet precies wat we gaan doen. Er moet nog iets spannends bij.'
'Vliegtuigen zijn spannend,' zegt opa. 'Jullie kunnen jullie optredens combineren.'
'Ik vind het best een goed idee,' zegt Annemiek. 'Wij kunnen de wolken zijn en dan rijden we om het vliegtuig heen.'
'Maar dat heeft niets met een vliegende cavia te maken,' klaagt Bastiaan.
'We verkleden jou als cavia,' zegt Myrthe lachend. 'Je lijkt er al best wel op.'
De meisjes giechelen.
'Als jullie zo kinderachtig doen, wil ik niet samenwerken,' zegt Bastiaan.
Johannes schudt zijn hoofd. 'Doe niet zo eigenwijs. Meisjes giechelen nou eenmaal. Ik denk dat jullie gezamenlijke optreden erg leuk wordt. Opa en ik komen zeker kijken. Dus zorg er maar voor dat jullie winnen.'

Het is tijd om te gaan.
'Zal ik u naar huis brengen?' vraagt Myrthe aan opa.
'Ik wil nog iets met je grootvader bespreken,' zegt Johannes. 'Heb je nog even tijd, Thomas?'

Opa knikt. 'Dat is goed. Doe mij nog maar een kopje koffie.'
Myrthe geeft de cavia aan opa. 'Neemt u Snuffie mee?'
'Natuurlijk meisje,' zegt opa.
Buiten pakken de vriendinnen hun eenwieler.
'Gaan we nog naar mijn huis?' vraagt Isabel.
'Ik wil eigenlijk het vliegtuig van Bastiaan wel zien,' zegt Annemiek. 'Het klonk heel leuk.'
Bastiaan bromt iets onverstaanbaars, maar het klinkt niet onvriendelijk.
Myrthe aarzelt. Misschien is het wel een goed plan. Als Bastiaan met hen een optreden doet, laat hij opa en Snuffie tenminste met rust.
'Goed,' zegt Myrthe. 'We gaan met Bastiaan mee.'

17. Oefenen met het vliegtuig

Bastiaan leidt hen door het steegje naar de achtertuin. Trots haalt hij het zeil van zijn zelfgebouwde vliegtuig. 'Dit is hem.'
'Wauw, hij lijkt net echt,' roept Isabel. 'Wat is hij groot!'
'Hij kan echt rijden.' Bastiaan wijst op de wielen. 'Maar hij heeft nog geen motor en propeller.'
'Kunnen we hem uitproberen?' vraagt Annemiek.
Bastiaan knikt. 'Hierachter is een pleintje waar we kunnen oefenen.'
'Hoe krijg je hem de poort uit?' vraagt Irene.
'De vleugels kunnen eraf,' zegt Bastiaan. Hij doet het voor.
Met z'n allen duwen ze het vliegtuigje de straat op. Bastiaan gaat erin zitten. Isabel en Annemiek duwen terwijl ze op hun eenwielers rijden. Het gaat best hard.
'Nu wil ik,' roept Irene.
Bastiaan stapt uit en laat Irene in het vliegtuigje zitten. Samen met Isabel duwt hij haar.
Eigenlijk is hij best aardig, denkt Myrthe. En het is ongelooflijk knap dat hij dit vliegtuig zelf heeft gebouwd. Maar Bastiaan moet wel voorzichtiger zijn met oude mensen en met dieren. Misschien denkt hij daar helemaal niet over na?

Myrthe en Annemiek maken plannen.

Annemiek stelt voor dat ze een decor bouwen van daken van huizen en wolken erboven.

‘We vragen Johannes of we die kleine vliegtuigjes mogen lenen. Dan hangen we een paar van die modelvliegtuigjes aan een draad in de lucht,’ zegt ze.

‘Of we hangen ze aan een hengel,’ stelt Myrthe voor. ‘Dan kunnen we ze laten bewegen.’

‘Maar hoe zit het nu met de cavia?’ vraagt Annemiek. ‘Ik vind “De vliegende cavia” wel spannend klinken.’

Bastiaan hoort het en glundert. ‘Goeie naam, hè?’

‘Maar je mag Snuffie toch niet meer laten vliegen!’ zegt Myrthe.

Annemiek heeft een plan. ‘We kunnen een speelgoedcavia in een van de kleine vliegtuigjes laten vliegen. Jij hebt toch een pluchen knuffelcavia?’

Myrthe knikt. ‘Die kunnen we wel gebruiken.’

Om beurten mogen alle meisjes even in het vliegtuig zitten. Daarna rijden ze het terug naar Bastiaans achtertuin.

Ze spreken meteen af wie wat gaat voorbereiden, want over een week moeten ze al optreden.

Iedereen is blij dat ze nu een goed plan hebben bedacht. Alleen Myrthe maakt zich zorgen. Zou opa goed thuisgekomen zijn? Zal hij beter op Snuffie letten?

Als Myrthe thuiskomt, is haar moeder al aan het koken. Ze gooit een paar aardappels in een steelpan en zet die op het vuur.

'Ben je daar eindelijk?' roept Myrthes moeder. 'Waren jullie bij Johannes? Hij belde me net.'
Johannes? Myrthe schrikt. 'Is er iets met opa?'
'Nee, maar Johannes heeft wel met opa gesproken over zijn verwardheid,' zegt haar moeder. 'Ik heb gezegd dat het eigenlijk niet meer gaat. Ik ben bang dat opa zijn appartement in brand steekt, bijvoorbeeld als hij een koekenpan te lang op het gasfornuis laat staan. Het is gewoon gevaarlijk. Johannes zei ook dat opa erg vergeetachtig wordt. Naast zijn rommelwinkel staat een woning leeg. Het is klein, maar opa heeft ook niet zo veel nodig. Als hij daar gaat wonen, kan Johannes een beetje op hem letten.'
'Wat vindt opa ervan?' vraagt Myrthe.
Ze steekt haar neus in de lucht. Het ruikt ineens zo vreemd in de keuken.
'Opa vindt het prachtig,' roept haar moeder. 'Hij wil ontzettend graag naast Johannes wonen.'
Het is een goede oplossing, denkt Myrthe. Opa en Johannes zijn al jaren bevriend.
'Wanneer gaat opa verhuizen?'
'Dat kunnen we snel regelen,' zegt haar moeder. 'Ik zal wat mensen bellen om ons te helpen.'
Een blauwe walm vult de keuken.
Myrthe kijkt naar het gasfornuis. 'Gaat het wel goed?'
'Help,' roept haar moeder geschrokken.
De steelpan met aardappels is roodgloeiend. Haar moeder draait snel het gas uit en doet de keukendeur open. Ze tilt de steelpan met een theedoek van

het fornuis en gooit hem in de gootsteen. Zodra ze de kraan openzet, vult de keuken zich met damp. In de sissende steelpan liggen vier verkoolde aardappels.
'Ik ben vergeten water in de pan te doen,' zegt haar moeder. 'Wat erg! We hadden wel brand kunnen krijgen.'
'Gelukkig kan ik een beetje op jou letten!' grapt Myrthe.
Haar moeder kan er wel om lachen. 'Zullen we buitenshuis gaan eten?' vraagt ze. 'In het eetcafé bijvoorbeeld? Ik wil Desiree nog een paar dingen vertellen.'

18. De droom

Die nacht droomt Myrthe dat opa, Bastiaan en zij ieder op een cavia vliegen. Opa vliegt op Snuffie, Myrthe vliegt op een donkerbruine cavia en Bastiaan vliegt op een witte cavia met bruine vlekken. De cavia's hebben brede, met een vlies bedekte vleugels, net zoals vleermuizen. Ze vinden het heerlijk om te vliegen.

Opa zwaait naar Myrthe. 'Wat gaan we hard, hè?' brult hij.

'Houdt u stevig vast,' schreeuwt Myrthe.

Opa brengt zijn handen naar zijn oren, want hij verstaat haar niet.

Myrthe schudt haar hoofd. Ze durft niets meer te zeggen uit angst opa af te leiden.

Waar zouden ze naartoe gaan?

Bastiaan vliegt voorop. Hij weet het vast wel.

'Waar gaan we naartoe?' schreeuwt Myrthe.

Maar de wind suist om hun oren en ertegenin roepen is lastig. Bastiaan hoort haar niet.

Myrthe knijpt haar benen steviger om haar cavia.

'Harder,' schreeuwt ze. 'Harder!'

De caviavleugels klapperen sneller. Ze komt nu dichter bij Bastiaan. 'Waar gaan we naartoe?' roept ze opnieuw.

Bastiaan wijst in de verte. Hij spoort zijn vleercavia aan om sneller te vliegen.

Snuffie vliegt nu ook harder. Opa's haren wapperen in de wind. Onder hen is de zee.
Worden de vleercavia's niet moe, denkt Myrthe bezorgd, maar opa Thomas en Bastiaan lijken nergens aan te denken. Ze lachen en zwaaien naar elkaar.
Als Myrthe niet zo angstig was, zou ze kunnen genieten in plaats van te denken aan alles wat verkeerd kan gaan. De vleercavia's kunnen moe worden en ze kunnen allemaal in zee vallen.
Gelukkig ziet ze in de verte land. Vlak bij de kustlijn staat een grote circustent.
De vleercavia's gaan iets lager vliegen. Op het water vaart een zeilboot. De mensen wijzen naar boven en zwaaien. Myrthe ontspant. Wat is vliegen op een cavia toch heerlijk. Dit had ze veel eerder moeten weten.

Als Myrthe wakker wordt, heeft ze nog steeds het gevoel dat ze door de lucht suist. Het leek zo gemakkelijk, maar in werkelijkheid kan het natuurlijk helemaal niet. Zelfs als een cavia zou kunnen vliegen, is hij veel te klein om mensen op zijn rug te dragen. De cavia's in haar droom waren monsterlijk groot. Het was een leuke droom. Hopelijk wordt hun circusoptreden ook leuk.

19. Het circusnummer

De hele week hebben Myrthe, Irene, Annemiek, Isabel en Bastiaan geoefend voor hun circusact. Ze hebben een prachtig decor gemaakt.
Naast de school is een circustent opgebouwd. Alle kinderen zijn zenuwachtig. Wie wint, mag deze zomer op circuskamp.
Bastiaan heeft zijn vliegtuig naast de circustent gezet. Alles is geregeld en voorbereid. Het gaat vast prima.

’s Middags mogen ouders, grootouders, vrienden en kennissen naar het circusoptreden komen kijken. Myrthes moeder heeft opa Thomas en Johannes opgehaald. Myrthe is zenuwachtig. Als alles maar goed gaat.
Met z’n vijven staan ze achter het decor. De meisjes hebben een lichtblauwe maillot en een lichtblauw gympakje aan. Om hun middel dragen ze een witte wolk van karton. Ze spelen dat ze wolken zijn.
Eerst komen er een paar andere nummers en dan zijn zij aan de beurt. De meester van groep 8 kondigt alle nummers aan.
‘Dames en heren, u gaat nu het optreden bekijken van vier meisjes uit groep 4 en één jongen uit groep 5. Het nummer heet “De vliegende cavia”! Ik vraag u om een warm applaus!’

De zaal klapt.
Bastiaan rijdt het vliegtuig naar binnen. Er zit nog niemand in.
De meisjes fietsen op hun eenwielers. Ze slaan een arm om elkaars schouder en buigen. De zaal klapt.
Dan komt Bastiaan naar voren. Aan zijn wang zit een microfoon waarin hij kan praten.
'Onze piloot zit nog in de zaal,' zegt hij. 'Mag ik u, opa Thomas, uitnodigen om in ons vliegtuig te komen zitten?'
Opa kijkt verbaasd om zich heen. Johannes en Myrthes moeder zitten naast hem. Zij weten het al.
'Ga maar,' zegt Myrthes moeder. 'Het is goed. Ze doen geen gekke dingen.'
Opa staat op. Bastiaan helpt hem om over de lage pisterand te klimmen.
Als opa in het vliegtuig zit, geeft Bastiaan hem een vliegeniersmuts.
'Zit u goed?' vraagt Bastiaan.
Opa glundert. 'Ja jongen.'
Bastiaan geeft een teken aan de jongen die de geluidsinstallatie bedient. Er klinkt vrolijke muziek en de lichten dimmen. Een discobol strooit vrolijke lichtjes rond.
De meisjes rijden met hun eenwieler voor het vliegtuig langs. Ze rijden met één been en zetten de andere voet op het frame. Het publiek klapt.
Bastiaan duwt het vliegtuig de andere kant op. Het lijkt net of het vliegtuig heel hard gaat, want de wolken schieten voorbij.
Bastiaan vertelt: 'Er was eens een piloot. Hij had

een mooie vlucht gemaakt en was op weg naar huis.'
De muziek verandert.
'Maar toen kwam er onweer,' zegt Bastiaan. Er klinken donderslagen in de tent en het wordt pikdonker. Slechts twee lichtbundels dwalen door de piste. De meisjes fietsen weg en doen achter het decor hun witte wolken af.
'Het vliegtuig kwam in zwaar weer,' zegt Bastiaan. De meisjes komen weer op, maar nu hebben ze een donkergrijze wolk om hun middel. Ze fietsen met het vliegtuig mee. Het ziet er spectaculair uit. Annemiek houdt een bliksemschicht vast.
'In die heftige storm verscheen nog een ander vliegtuig,' zegt Bastiaan.
Er klinkt een ronkend geluid. Irene houdt een lange stok vast met aan het einde het kleine, bordeauxrode modelvliegtuigje dat opa Thomas gemaakt heeft. In het modelvliegtuigje zit de pluchen knuffelcavia van Myrthe. Ze heeft hem ook een vliegenierspetje opgezet.
Het publiek lacht.
Het vliegtuigje schommelt.
'Help, ik stort neer!' piept Bastiaan met een klein stemmetje. Hij doet net alsof hij de knuffelcavia is. Opa zwaait naar het kleine vliegtuigje.
'Kom maar hier, kleine cavia. Mijn vliegtuig kan wel tegen een beetje regen.'
Irene laat het modelvliegtuigje vlak langs opa vliegen. Opa probeert de knuffelcavia te pakken, maar telkens grijpt hij mis.

De andere meisjes verdwijnen ongemerkt achter het decor.
Bastiaan gaat verder met het verhaal. 'Gelukkig kwam er aan de storm een einde en brak de zon door.'
Myrthe, Annemiek en Isabel komen op hun eenwielers de piste in. Ze dragen opnieuw een witte wolk om hun middel en Myrthe heeft een grote, gele zon in haar handen.
Ze gooit de zon naar Isabel, die hem behendig opvangt. Isabel gooit de zon naar Annemiek. De muziek klinkt vrolijker.
Langzaam laat Irene het modelvliegtuigje met de knuffelcavia op de vleugel van het grote vliegtuig landen.
Bastiaan parkeert het vliegtuig in het midden van de piste en helpt opa met uitstappen.
De meisjes rijden naast elkaar naar voren en buigen.
Het publiek klapt de handen blauw. Dat was een geweldig optreden!
Glunderend gaat opa weer in de zaal zitten.

Myrthe kleedt zich snel om en gaat dan naast haar grootvader in het publiek zitten.
'Vond u het leuk?' vraagt ze.
'Ik vond het machtig mooi!' zegt opa. 'De vliegende cavia was het beste nummer!'
'Als we winnen, mogen we op circuskamp,' fluistert Myrthe.
Opa lacht. 'Jullie winnen vast! Mag ik dan ook mee?'

Johannes en Myrthes moeder kijken geschrokken. 'Dat is veel te gevaarlijk!'
Opa glimlacht. 'Het was maar een grapje. Ik ben veel te blij met mijn huisje naast Johannes. En ik heb Bastiaan beloofd dat ik hem help om een propeller te maken voor zijn grote vliegtuig.'
Er komen nog een paar nummers van andere groepen.
Myrthe hoopt heel erg dat ze winnen. Maar zelfs als ze de hoofdprijs niet winnen, is ze tevreden.
Het was Bastiaans idee om opa Thomas te laten meedoen met het circusnummer. En hij heeft gelijk: soms moet je iets geks doen, want daar word je vrolijk van. Hopelijk stopt hij wel met het bedenken van gevaarlijke dingen. Maar gelukkig zal Johannes voortaan op opa letten.
Opa stoot Myrthe aan. 'Het was leuk, hè?' vraagt hij.
Myrthe glimlacht. 'Ja, het was heel erg leuk.'

Hoi,

Ik hoop dat je 'De vliegende cavia' een leuk boek vond. Met mijn grootvader gaat het veel beter nu hij bij Johannes woont. Ik ga nog vaak bij mijn opa op bezoek en dat is erg gezellig.

Vorige week was mijn opa Thomas jarig en toen heeft Johannes hem een nieuwe cavia gegeven. Het is een meisje en ze heet Pluis. Dus Snuffie heeft nu een vriendinnetje.
Ik hoop dat de cavia's jonkies krijgen. Dan mag ik er van mijn moeder één hebben. En Irene wil ook een cavia.

Opa helpt Bastiaan met het maken van nieuwe vliegtuigmodellen. Ze zijn uren samen in de schuur aan het knutselen.
Mijn moeder en Desiree zijn dikke vriendinnen geworden. Binnenkort is Bastiaan jarig en Desiree wil hem een ballonvaart cadeau doen. Opa, Johannes en ik mogen ook mee en er gaan nog een paar vrienden van Bastiaan mee.
Alles is dus gelukkig goed afgelopen.

Een knuffel van Snuffie en Pluis.
Groetjes van Myrthe!

Naam: Rian Visser.

Leeftijd: 45 jaar.

Ik woon in: Haarlem.

Dit doe ik het liefst: paardrijden, lezen, schrijven en tennissen.

Ik hou helemaal niet van: mensen die boos zijn, pesten en ruzie.

Het leukste boek vind ik: *De vliegende cavia*.

Zo kwam ik op het idee om *De vliegende cavia* te schrijven: Het leuke van schrijven is dat je dingen kunt bedenken die niet echt kunnen, zoals op een dier zitten dat kan vliegen. Daarnaast gaat dit verhaal over een kind dat verantwoordelijkheid moet nemen voor een volwassene. Dat hoort eigenlijk niet, maar soms is dat zo. Bijvoorbeeld als de ouders of grootouders ziek zijn.

Ik wil heel graag nog een keer een verhaal schrijven over: een vliegend paard.

Mijn grootste wens is: dat heel veel kinderen mijn boeken leuk vinden. Al mijn boeken vind je op mijn website www.rianvisser.nl.

Meer lezen van Rian Visser?

Boy, een jongen zoals ik
Ik heet Cas. Mijn ouders zijn gescheiden. Mijn vader woont nu ergens anders. Met mijn moeder maakte ik vaak ruzie. Alles werd steeds stommer. Toen kreeg ik een idee. Ik tekende een strip over een jongen. Hij heet Boy. Boy is een jongen zoals ik, maar dan anders.

In deze serie zijn verschenen:

Kristien Dieltiens
De bende van Ji-Ja-Jo
plus

Rian Visser
De vliegende cavia
plus

Chris Winsemius
Jij bent nog niet jarig!
plus

Carla van Kollenburg
Hoe Otto beroemd werd
plus

Els Rooijers
Joep en de blauwe tijger
extra

Anke Kranendonk
Ik ga weg
extra

Annemarie van den Brink
Krinkel
extra

Ruben Prins
Wie heeft Panter ontvoerd?
extra